PICCOLA BIBLIOTECA ADELPHI
238

Leonardo Sciascia

UNA STORIA SEMPLICE

ADELPHI EDIZIONI

Prima edizione: novembre 1989
Ventottesima edizione: gennaio 2011

© 1989 ADELPHI EDIZIONI S.P.A. MILANO
WWW.ADELPHI.IT

ISBN 978-88-459-0729-6

UNA STORIA SEMPLICE

Ancora una volta voglio scandagliare
scrupolosamente le possibilità che
forse ancora restano alla giustizia.

DÜRRENMATT, Giustizia

Ancora una volta, vano e irragione...
sempre, lamentare le possibile, pe...
forse impossibilità di una sempli...

La telefonata arrivò alle 9 e 37 della sera
del 18 marzo, sabato, vigilia della festa
combinato era che faceva, dedicava a san
Giuseppe falegname: e al falegname appunto erano oberti i negli di mobili ve...
ch'egli quelli era accendevano nei quartieri popolari, quasi promessa ai falegnami
ancora in ... erazio, e ormai pochi, di un
futuro che non sarebbe mancato. Gli ulti-
ci erano, più delle altre sere a quell'ora,
quasi deserti, anche se illuminati. L'illuminazione serale e notturna degli uffici d'po-
bia raeinamente prescritta per dare impressione ai cittadini che in quegli uffici
sempre sulla loro sicurezza si vegliava.
Il telefonista annotò l'ora e il nome della
persona che telefonava: Giorgio Roccella.
Aveva una voce educata, calma, suadente.
Come tanti folli, pensò il telefonista.
Chiedeva intanto, il signor Roccella, del
questore tua folla, specialmente a quel-
l'ora e in quella particolare serata.

La telefonata arrivò alle 9 e 37 della sera del 18 marzo, sabato, vigilia della rutilante e rombante festa che la città dedicava a san Giuseppe falegname: e al falegname appunto erano offerti i roghi di mobili vecchi che quella sera si accendevano nei quartieri popolari, quasi promessa ai falegnami ancora in esercizio, e ormai pochi, di un lavoro che non sarebbe mancato. Gli uffici erano, più delle altre sere a quell'ora, quasi deserti: anche se illuminati, l'illuminazione serale e notturna degli uffici di polizia tacitamente prescritta per dare impressione ai cittadini che in quegli uffici sempre sulla loro sicurezza si vegliava.

Il telefonista annotò l'ora e il nome della persona che telefonava: Giorgio Roccella. Aveva una voce educata, calma, suadente. 'Come tutti i folli' pensò il telefonista. Chiedeva infatti, il signor Roccella, del questore: una follia, specialmente a quell'ora e in quella particolare serata.

9

Il telefonista si sforzò allo stesso tono, ma riuscendo a una caricaturale imitazione, resa più scoperta dalla freddura con cui rispose: «Ma il questore non è mai in questura a quest'ora», freddura che in quegli uffici abitualmente correva sulle frequenti assenze del questore. E aggiunse: «Le passo l'ufficio del commissario», col gusto di far dispetto al commissario, che certo stava in quel momento per lasciare l'ufficio.

Il commissario si stava infatti infilando il cappotto. Prese il telefono il brigadiere che aveva tavolo ad angolo con quello del commissario. Ascoltò, cercò sul tavolo una matita e un pezzo di carta; e mentre scriveva rispondeva che sì, sarebbero andati al più presto possibile ma appena possibile, così collocando la possibilità in modo da non illudere sulla prestezza.

«Chi era?» domandò il commissario.

«Un tale che, dice, ha da farci vedere urgentemente una cosa che si è trovata in casa».

«Un cadavere?» scherzò il commissario.

«No, ha detto proprio una cosa».

«Una cosa... E come si chiama, questo tale?».

10

Il brigadiere prese il pezzo di carta su cui aveva scritto nome e indirizzo, lesse: «Giorgio Roccella, contrada Cotugno, dal bivio per Monterosso, strada a destra, quattro chilometri; quindici da qui».

Il commissario tornò dalla porta al tavolo del brigadiere, prese quel pezzo di carta, lo lesse quasi credesse di trovarvi qualcosa di più di quel che il brigadiere aveva detto. Disse: «Non è possibile».

«Che cosa?» domandò il brigadiere.

«Questo Roccella,» disse il commissario «è un diplomatico, console o ambasciatore non so dove. Non viene qui da anni, chiusa la casa di città, abbandonata e quasi in rovina quella di campagna, in contrada Cotugno appunto... Quella che si vede dalla strada: in alto, che sembra un fortino...».

«Una vecchia masseria,» disse il brigadiere «ci sono passato sotto tante volte».

«Dentro il recinto, per cui pare una masseria, c'è un villino molto grazioso; o almeno c'era... Grande famiglia, quella dei Roccella: ma ora ridotta a questo console o ambasciatore che sia... Non credevo nemmeno che fosse ancora vivo, da tanto che non si vede».

11

«Se vuole,» disse il brigadiere «vado a controllare».

«Ma no, sono sicuro che si tratta di uno scherzo... Domani, magari, se hai tempo e voglia, vai a dare un'occhiata... Per quanto mi riguarda, qualunque cosa accada, domani non mi cercate: vado a festeggiare il San Giuseppe da un mio amico, in campagna».

L'indomani, in pattuglia, il brigadiere andò in contrada Cotugno: nello stato d'animo, lui e i due agenti che lo accompagnavano, di fare una gita: per quel che aveva detto il commissario, erano sicuri che quel luogo fosse disabitato e che la chiamata della sera prima era stata uno scherzo. Un fiumiciattolo, che scorreva ai piedi della collina, era ormai soltanto un alveo pietroso, di pietre bianche come ossame; ma la collina, in cima quella masseria in rovina, verdeggiava. Fatto il sopralluogo, il loro proposito era di darsi a raccogliere asparagi e cicorie, festosamente: tutti e tre esperti a riconoscere le buone verdure selvatiche, da contadini che erano stati.

Entrarono nel recinto, che non era fatto, come guardando da giù si poteva credere, di semplici muri: erano magazzini, le porte chiuse da lucidi catenacci, che circondavano il villino, davvero grazioso e con molti segni di disgregazione, di rovina. Vi girarono intorno. Tutte le imposte erano chiuse, tranne di una finestra dai cui vetri si poteva guardar dentro. Stando nella luce abbagliante di quella mattinata di marzo, videro dapprima confusamente l'interno: poi cominciarono a distinguere e a tutti e tre, ripetendo la prova facendosi schermo del sole con le mani, parve certo si vedesse un uomo che, di spalle alla finestra, seduto a una scrivania, vi si fosse accasciato.

Il brigadiere prese la decisione di rompere il vetro della finestra, di aprirla, di entrare nella stanza: l'uomo poteva esser crollato per un malore, si era forse in tempo a dargli soccorso. Ma l'uomo era morto, e non per sincope o infarto; nella testa, che poggiava sulla scrivania, tra la mandibola e la tempia, era un grumo nerastro.

Ai due agenti, che pure erano entrati scavalcando la finestra, il brigadiere gridò: «Non toccate nulla!»; e per non toccare il telefono, che stava sulla scrivania, ordinò a uno degli agenti di tornare in questura, di riferire, di far venire subito medico, fotografo e quei due o tre che in questura erano considerati e privilegiati come esperti scientifici: secondo il brigadiere soltanto privilegiati, non avendo fino ad allora esperienza di un solo caso in cui costoro avessero dato un contributo risolutivo, di confusione piuttosto.

Dati quegli ordini, e continuando a dire all'agente che era rimasto con lui di non toccar nulla, il brigadiere cominciò a fare il suo lavoro di osservazione, in funzione del rapporto scritto che gli toccava poi fare: compito piuttosto ingrato sempre, i suoi anni di scuola e le sue non frequenti letture non bastando a metterlo in confidenza con l'italiano. Ma, curiosamente, il fatto di dover scrivere delle cose che vedeva, la preoccupazione, l'angoscia quasi, dava alla sua mente una capacità di selezione, di scelta, di essenzialità per cui sensato ed acuto finiva con l'essere quel che poi nella rete dello scrivere restava. Così è forse degli scrittori italiani del meridione, siciliani in specie: nonostante il liceo, l'università e le tante letture.

Immediata, l'impressione era che l'uomo si fosse suicidato. La pistola era a terra, a destra della poltrona su cui era rimasto seduto: vecchia arma da guerra '15-'18, tedesca, uno di quei souvenir che i reduci si portavano a casa. Ma c'era, a cancellare nel brigadiere l'immediata impressione del suicidio, un particolare: la mano destra del morto, che avrebbe dovuto penzolare a filo della pistola caduta, stava invece sul piano della scrivania, a fermare un foglio su cui si leggeva: «Ho trovato.». Quel punto dopo la parola «trovato» nella mente del brigadiere si accese come un flash, svolse, rapida e sfuggente, la scena di un omicidio dietro quella, non molto accuratamente costruita, del suicidio. L'uomo aveva cominciato a scrivere «Ho trovato», così come in questura aveva detto di aver trovato in casa qualcosa che non si aspettava di trovare: e stava per scrivere di quel che aveva trovato, ormai dubitando che la polizia arrivasse e forse cominciando, nella solitudine, nel silenzio, ad aver paura. Ma avevano bussato alla porta. 'La polizia' pensò; ed era invece l'assassino. Forse si presentò come poliziotto: e l'uomo lo fece entrare, tornò a sedere alla scrivania, cominciò a raccontare di quel che aveva trovato. La pistola stava forse sulla scrivania, nella paura che gli cresceva probabilmente era andato a tirarla fuori da un qualche ripostiglio che ricordava (il brigadiere non credeva che gli assassini si dotassero di un così vecchio arnese). Vedendola sul tavolo, forse chiese, l'assas-

16

sino, informazione sull'arma, ne verificò il funzionamento, improvvisamente la puntò alla testa dell'altro e sparò. E poi la gran trovata di mettere il punto dopo «ho trovato»: «ho trovato che la vita non vale la pena di essere vissuta», «ho trovato l'unica ed estrema verità», «ho trovato», «ho trovato»: il tutto e il niente. Non reggeva. Ma da parte dell'assassino, quel punto non era poi un errore: per la tesi del suicidio, che si sarebbe certamente affacciata (il brigadiere ne era sicuro), da quel punto sarebbero stati estratti significati esistenziali e filosofici, e specialmente se la personalità dell'ucciso avesse offerto un qualche addentellato. Sulla scrivania c'erano un mazzo di chiavi, un vecchio calamaio di peltro, la fotografia, di una comitiva numerosa ed allegra, che almeno cinquant'anni prima era stata scattata in giardino: forse proprio lì fuori, quando intorno alla casa ci dovevano essere alberi d'armonia e d'ombra, ora soltanto seccume e sterpaglia.

Accanto al foglio con l'«ho trovato», la stilografica chiusa: finezza dell'assassino (il brigadiere era sempre più certo che si trattava di un omicidio), a dar l'impressione che con quel punto l'uomo aveva appunto messo un punto fermo alla propria esistenza.

La stanza, intorno, aveva scaffali quasi tutti vuoti di libreria. I libri che restavano erano annate rilegate di riviste giuridiche, manuali di agronomia, fascicoli di una rivista che s'intitolava «Natura ed arte». C'erano poi, uno sull'altro, alcuni volumi che dovevano essere antichi, sul cui dorso il brigadiere lesse *Calepinus*. Lui aveva sempre creduto che il calepino fosse un libretto da tenere in tasca, un taccuino, un prontuario: gli sembrò curioso che quel nome a dei libriccini venisse da quei libri che ognuno pesava dieci chili almeno. Lo scrupolo di non lasciare quelle impronte in cui non credeva lo distolse dalla curiosità di aprire uno di quei volumi; e per lo stesso scrupolo, seguito dall'agente, vagò per la casa senza toccare mobili e maniglie, entrando solo per le porte che erano aperte.

La casa era più vasta di quanto, guardandola da fuori, si poteva credere. C'era una grande sala da pranzo con un massiccio tavolo di rovere e quattro credenze, dello stesso legno, con dentro piatti, zuppiere, bicchieri e cuccume; ma anche vecchi giocattoli, carte, biancheria. Camere da letto,

due con materassi e cuscini ammonticchia-
ti sulle reti, una con un·letto che pareva
qualcuno ci avesse dormito la notte prima,
ce n'erano tre; e forse altre dietro le porte
che il brigadiere non aprì. La casa era stata
abbandonata e anche dispogliata di arredi,
libri, quadri e porcellane (si scorgeva qualche segno delle cose involate), ma non dava il senso di essere disabitata. Mozzico-
ni di sigarette erano nei portacenere, e
fondi di vino nei bicchieri, cinque, che erano stati portati in cucina certo con l'intenzione di sciacquarli. La cucina era spazio-
sa, con focolari a legna, forno, mattonelle
valenziane murate intorno; pentole di
rame e tegami appesi alle pareti: davano
un certo splendore, nella poca luce, anche
se verdicavano di solfato ormai. Dalla cucina, una porticina si apriva su una scala che
saliva stretta e buia, e non si vedeva dove
finiva.
Il brigadiere cercò se vi fosse una luce da
accendere per illuminare quella scala.
Non scorgendo altro interruttore che
quello che accendeva lampade sui focolari,
si avventurò a salire quella scaletta. Ma
dopo cinque o sei gradini cominciò, sempre salendo con esitazione, ad accendere
fiammiferi. Ne accese molti prima di arri-

19

vare, in cima, a una specie di sottotetto, una camera alta che uno di normale statura quasi toccava con la testa il soffitto ma ampia quanto giù la sala da pranzo. Era piena di divani, poltrone e sedie sfondate; di casse; di cornici vuote; di panneggi polverosi. Torno torno erano dei busti-reliquiari di santi: una diecina, dorati; ma faceva spicco tra loro un busto più grande, d'argento il petto, nera la mantellina, la faccia incagnata. I busti dorati portavano, sul piedistallo barocco, il nome di ciascun santo; l'altro più grande e più cupo il brigadiere non aveva sufficiente esperienza di santi per riconoscervi sant'Ignazio.

Il brigadiere accese l'ultimo fiammifero e velocemente ridiscese. «Un tetto morto pieno di santi» spiegò all'agente che lo aspettava al piede della scala. Si sentiva come se polvere, ragnatele e muffe gli fossero piovute addosso. Tornò a scavalcare la finestra per ritrovare la mattinata fredda e splendida, il sole, l'erba gocciolante di brina.

L'agente sempre a due passi dietro di lui, girarono intorno alla casa. Tra sterpi e seccumi, c'era uno spiazzo che, evidentemente, era servito per manovre di automobili, forse di autocarri. «C'è stato traf-

fico, qui» disse il brigadiere. Poi, indican-
doli all'agente, domandò: «Che te ne pare
di questi catenacci?»: quelli che chiudeva-
no le porte dei magazzini o stalle che circondavano la casa come un fortilizio da
western americano.

«Sono nuovi» disse l'agente.

«Bravo» disse il brigadiere.

Poco meno di due ore dopo, arrivarono tutti quelli che dovevano arrivare: questore, procuratore della Repubblica, medico, fotografo, un giornalista prediletto dal questore e un nugolo di agenti tra i quali per sussiego spiccavano quelli della scientifica. Sei o sette automobili che anche dopo che erano arrivate continuarono a rombare, stridere e urlare, così come dal centro della città erano partite suscitando la curiosità dei cittadini e anche quella – effetto dal questore desiderato tardivo al possibile – dei carabinieri: per cui il colonnello dei carabinieri, cupo in volto, arrabbiatissimo, pronto a litigare, col dovuto rispetto, col questore, arrivò una mezz'ora dopo, le porte tutte già aperte con quelle chiavi che stavano sulla scrivania, il rilevamento delle impronte già un po' a casaccio cominciato, il morto fotografato da ogni parte. Con contenuto furore il colonnello disse: «Ma un avvertimento potevate dar-

22

celo». «Mi scusi,» disse il questore «ma tutto si è svolto così precipitosamente, nel giro di pochi minuti». «Già, già...» disse ironico il colonnello.

La pistola fu tirata su inserendo una matita nell'ansa del grilletto, fu delicatamente deposta su un panno nero, delicatamente avvolta. «Le impronte subito» disse il questore. Quelle del morto erano state prese. «Inutile lavoro,» sentenziò poi «ma si deve fare».

«Perché inutile?» domandò il colonnello.

«Suicidio» disse solennemente il questore, decidendo così che il colonnello cominciasse a coltivare opinione contraria.

«Signor questore...» intervenne il brigadiere.

«Quello che hai da dire, lo dirai poi nel tuo rapporto... Intanto...»: ma non sapeva intanto cosa ci fosse da dire o da fare se non ripetere: «Suicidio, caso evidente di suicidio».

Il brigadiere tentò ancora: «Signor questore...». Voleva dirgli della telefonata della sera prima, di quel punto dopo l'«ho trovato». Ma il questore tagliò: «Vogliamo il rapporto», indicò sé e il procuratore della Repubblica, guardò l'orologio, «nel primo pomeriggio». E rivolto al procuratore

e al colonnello: «Questo è un caso sempli-
ce, bisogna non farlo montare e sbrigarce-
ne al più presto... Vai a scrivere il rapporto, subito».

Automaticamente, il colonnello vide, invece, il caso molto complicato, e comunque
da non sbrigarsene al più presto. Scattava
subito, pregiudizialmente, quali che fossero le persone che le rappresentavano, una
irriducibile disparità di punti di vista tra le
due istituzioni: l'arma dei carabinieri, il
corpo di polizia. Un lungo, storico conten-
zioso li divideva: e tutti i cittadini che ci
cadevano in mezzo finivano col dibatter-
visi drammaticamente.

Il brigadiere disse: «Signorsì», uscì a ritrovare la macchina di pattuglia con cui
era venuto e che era ritornata. Ma poiché
il questore lo aveva indispettito, ed essen-
do quasi del tutto sprovvisto di quel che si
suol chiamare spirito di corpo – cioè del
considerare parte maggiore del tutto il
corpo cui apparteneva, di ritenerlo infalli-
bile e, nella eventuale fallibilità, intocca-
bile, traboccante di ragione soprattutto
quando aveva torto – ebbe una beffarda
idea.

Nell'automobile con cui il colonnello era
venuto, seduto al volante stava il brigadie-

24

rę (dei carabinieri) che la guidava. Il nostro brigadiere andò a sederglisi a lato, ché lo conosceva bene anche se senza confidenza: e gli raccontò tutto quel che sapeva del caso, tutti i suoi sospetti. Gli indicò anche, alle porte dei magazzini, quei catenacci nuovi, lucidi; e se ne tornò in ufficio come alleggerito, a scrivere in due ore e passa quel che al suo pari grado aveva raccontato in cinque minuti.

Così, tornando in città, il colonnello dei carabinieri seppe dal suo brigadiere quel che ci voleva per rendere il caso più complicato di quanto il questore desiderasse.

Nonostante fosse domenica e festa di San Giuseppe, dati anagrafici e catastali, informazioni più o meno confidenziali, affluirono subito alla questura e al comando carabinieri. Le stesse o quasi, da fonti uguali e da uguali confidenti: il che, se avessero lavorato in concordanza, avrebbe risparmiato a una delle due parti quel tempo e quella fatica che avrebbe potuto più utilmente impiegare: ma stiamo vagheggiando una cosa impossibile quanto la collaborazione tra un costruttore e un dinamitardo (e ben s'intende che ruoli simili a nessuna delle due parti si attagliano).

L'identità della vittima: Giorgio Roccella di Monterosso, nato appunto a Monterosso il 14 gennaio 1923, diplomatico in pensione. Era stato console d'Italia in varie città europee, si era fermato infine a Edimburgo dove, separato dalla moglie, viveva con un figlio ventenne. Non era tornato in Italia, dopo all'incirca quindici anni, se non per tragicamente morirvi, il 18 marzo del 1989. Era stato il solo della famiglia a conservare, ma non curandosene, qualche frantume di una vasta e varia proprietà: una casa semidistrutta in città, quel villino con poca terra intorno. Era arrivato in città proprio quel giorno, il 18; aveva pranzato al ristorante Le tre candele ordinando spaghetti al nero di seppia e polipo in insalata; aveva chiamato un taxi per farsi portare al villino. Si era assicurato, disse al taxista, che le chiavi che aveva funzionassero ad aprire la porta, dopo di che lo aveva licenziato, e che tornasse a riprenderlo l'indomani alle undici. «Soffro d'insonnia,» spiegò «lavorerò tutta la notte». Ma l'indomani alle undici, vedendo tutto quel movimento di polizia e carabinieri, il taxista era tornato indietro senza salire al villino. Forse, pensò, l'uomo era un pericoloso ricercato. E perché andarsi a cacciare in un guaio?

Il questore, sufficientemente irritato dal rapporto, che adombrava l'omicidio, del brigadiere, dall'informazione che la vittima si era separata dalla moglie (o, preferiva, la moglie da lui), trasse motivo a rafforzare la sua ipotesi del suicidio. La domanda del perché avesse chiamato prima la polizia, se la pose ma non lo inquietò: voleva, si rispose, ammazzarsi sotto gli occhi della polizia, per dare più originalità e clamore al suo gesto. Preda della follia, insomma. Ma il brigadiere, facendo più attenzione al fonogramma informativo, fece notare al questore che la separazione dalla moglie era avvenuta dodici anni prima. Per quanto doloroso, un caso simile è difficile giunga al vertice della disperazione dodici anni dopo. Arrivò invece al vertice l'irritazione del questore nei riguardi del brigadiere. «Non si permetta di queste osservazioni,» disse «e faccia tornare subito il commissario, dovunque si trovi».

Il commissario, per come il sabato aveva annunciato, si rese introvabile fino al lunedì mattina. Alle otto entrava in ufficio, dove già stava il brigadiere, incappottato, incappellato, avvolto in una sciarpa che gli copriva anche la bocca, guantato. Si svolse dal tutto rabbrividendo: «C'è un freddo, qui dentro, quasi quanto fuori: gli uccelli, qui, ne cadrebbero fulminati».

Aveva appreso il fatto da radio e giornali, disse. Lesse senza far commento lo scheletrico rapporto del brigadiere, uscì a conferire col questore.

Tornò che pareva ce l'avesse col brigadiere. «Non facciamo romanzi» lo avvertì. Ma il romanzo era già nell'aria. Due ore dopo, nell'ufficio sedeva ad alimentarlo il professor Carmelo Franzò, vecchio amico della vittima. Raccontò che sabato 18, inaspettatamente, si era visto arrivare in casa Giorgio Roccella. Spiegazione di quell'improvviso viaggio: si era ricordato che in

29

una cassapanca che doveva ancora esserci nel solaio del villino c'erano dei pacchetti di vecchie lettere: uno di Garibaldi al suo bisnonno, un altro di Pirandello a suo nonno (avevano fatto assieme il liceo); e gli era venuta la fantasia di recuperarli, di lavorarci un po' su. Gli chiese di accompagnarlo, nel pomeriggio, al villino; ma il professore aveva, proprio quel pomeriggio, da fare la periodica e inalienabile dialisi, pena per giorni l'intossicata immobilità. Gli sarebbe tanto piaciuto, tornare dopo tanti anni a quel villino e partecipare alla ricerca. Si lasciarono dandosi appuntamento per l'indomani, domenica; ma la sera della domenica, ecco dalla radio la notizia della morte dell'amico.

Ma aveva da aggiungere, il professore, altre informazioni; e fondamentali. La sera di sabato, una telefonata dell'amico. Telefonava dal villino: e per prima cosa disse: «Non sapevo che qui avessero messo il telefono»; poi disse che, cercando in solaio le lettere, aveva trovato, ecco, aveva trovato il famoso quadro. «Che quadro?» aveva domandato il professore. «Quello che è scomparso qualche anno fa: non ti ricordi?» aveva detto Roccella. Il professore non era certo di avere indovinato di

30

qual quadro si trattasse; gli consigliò, comunque, di chiamare la polizia.

«Che storia complicata,» disse il commissario tra incredulità e preoccupazione: «il quadro, il telefono; due cose che il signor Roccella, al momento in cui parlò con lei, aveva appena scoperto...». E ancora più incredulo, al professore: «Lei ci ha creduto?».

«Gli ho creduto per tutta la vita: perché proprio l'altro ieri avrei cominciato a non credergli?».

Il brigadiere aveva intanto preso l'elenco telefonico, lo sfogliò, cercò, lesse: «Roccella Giorgio di Monterosso, contrada Cotugno, 342260... Nell'elenco c'è».

«Grazie» disse acido il commissario. «Ma non è il fatto che c'è a interessarmi; è il fatto che non ne sapesse niente che mi intriga».

«Possiamo...» cominciò il brigadiere.

«Puoi: e lo farai subito... Vai all'ufficio dei telefoni, prendi tutti gli estremi della domanda, della data d'impianto, delle bollette pagate... Fotocopie di tutto, anzi...».

E al professore: «Torniamo al famoso quadro: scomparso, riapparso al suo amico e, presumibilmente, di nuovo scomparso... Lei, mi è parso, ha un'idea di quale quadro il suo amico volesse dire...».

«E lei?» rimandò il professore.

«Io no» disse il commissario. «Non mi intendo di quadri; e di quelli scomparsi, che in Italia son tanti, è specialista un mio collega di Roma. Lo consulteremo... Ma intanto mi dica di quel quadro scomparso, a sua opinione, si tratta...».

«Non sono specialista in quadri scomparsi» disse il professore.

«Ma un'opinione ce l'ha».

«È la stessa che dovrebbe avere lei».

«Cristo: sempre così... Anche coi professori».

«Anche coi commissari» ribatté acre il professore.

Il commissario si contenne: fosse stata altra persona, l'avrebbe magari sbattuta in camera di sicurezza: ma il professor Franzò era conosciuto e rispettato in tutta la città, generazioni di allievi ne avevano affettuoso e grato ricordo. E dunque: «Mi ripeta il più fedelmente possibile quel che il suo amico le ha detto di persona e per telefono».

Il professore, nervosamente, tanto nervosamente da sillabare, si diede a ripetere.

«Non sta omettendo qualcosa?» si vendicò il commissario.

«Ho buona memoria e l'abitudine di non ometter nulla».

«Bene, bene,» disse il commissario «ma tenga presente che tra poco dovrà ripetere tutto, parola per parola, al giudice».

Il professore sorrise tra compatimento e sdegno. Ma a metter fine alla schermaglia entrò il questore, che del professore era stato allievo.

«Professore, lei qui?».

«E con un interessante racconto» disse il commissario.

Ma il ritorno del brigadiere portò agitazione. «La richiesta c'è, di tre anni fa; ma con firma falsificata... L'hanno già accertato i carabinieri».

«Maledizione!» urlò il questore: indirizzandosi ai carabinieri.

Ma dissoltasi, per la testimonianza del professore, la tesi del suicidio, che il questore aveva in prima accettata e il colonnello dei carabinieri subito rifiutata, dai superiori loro furono entrambi esortati a incontrarsi e a scambiarsi informazioni, ipotesi e sospetti. S'incontrarono, per così dire, a denti stretti; ma non riuscirono ad essere del tutto vaghi e insensati.

Ricostruirono: il signor Roccella, preso dal capriccio di ritrovare le lettere di Garibaldi e di Pirandello, era improvvisamente tornato, dopo tanti anni; era andato a trovare il suo amico; aveva pranzato al ristorante; prese dalla casa di città, o le aveva già con sé, le chiavi del villino; vi si era fatto portare da un taxi. Lì, constatato che le chiavi ancora servivano, si era fatto lasciare per fare la sua ricerca. Ma cosa era accaduto da quel momento in poi? Aveva trovato impiantato un telefono: ma non pareva se ne fosse tanto sorpreso, da come

riferiva il professore. Il che voleva dire
che aveva idea di chi l'avesse fatto impian-
tare. L'aveva invece molto sorpreso, forse
impaurito, lo scoprire, nel solaio dove era
andato a cercare le lettere, quel quadro.
La telefonata all'amico, dunque, la telefonata alla polizia. E poiché la polizia tarda-
va ad arrivare, aveva cominciato a scrivere: «Ho trovato...». Ma senz'altro impaurito, era andato a ripescare la vecchia
Mauser. E proprio in quel momento, probabilmente, sentì bussare. Finalmente la
polizia. Andò ad aprire: ma era il suo
assassino.
Punti da vagliare: il telefono era stato
impiantato davvero a sua insaputa? il suo
ritorno era davvero dovuto al desiderio di
ritrovare le lettere di Garibaldi e di Pirandello? aveva davvero visto *quel* quadro o si
era trattato di un quadro di famiglia di cui
non si ricordava più ed era riemerso tra le
tante cianfrusaglie del solaio?
Bisognava fare una nuova e più minuziosa
perquisizione nel villino. Ma mentre la
decidevano un fatto accadde che portò
grande daffare e sconvolgimento.
Un treno locale, a quell'ora – le due del
pomeriggio – di solito carico di studenti,
al semaforo che precedeva la stazione di

Monterosso era stato fermato dal segnale di impedimento. Aveva aspettato che il segnale mutasse: ma mezz'ora era passata davanti alla luce rossa del semaforo.

Correva parallela alla ferrovia la strada nazionale. Studenti e ferrovieri vi sciamavano, imprecando al capostazione di Monterosso, che o aveva dimenticato di dare libera la via o si era addormentato.

Per la strada, a quell'ora, passavano pochissime automobili; e solo una se ne fermò a chiedere che cosa era accaduto a quel treno. Una Volvo. Al guidatore il capotreno chiese un favore: che salisse alla stazione di Monterosso a svegliare il capostazione. La Volvo si arrampicò verso la stazione, la videro fermarvisi e poi sparire. Evidentemente, era discesa da un altro ramo della strada.

Restando il semaforo al rosso, dopo un po' il capotreno, seguito da qualche passeggero, salì a piedi – cinquecento metri – alla stazione: ma scoprirono con raccapriccio che capostazione e manovale dormivano sì, ma di eterno sonno. Erano stati ammazzati.

Imparzialmente furono chiamati carabinieri e polizia: che subito, entrambi, si diedero alla ricerca dell'uomo della Volvo.

Ricerca non difficile, considerando che di Volvo in tutta la provincia non ce ne erano più di trenta: considerazione che fece anche l'uomo della Volvo, quando dalla radio apprese che la polizia lo cercava e capì che non avrebbe tardato a trovarlo. Andò dunque in questura di malavoglia e con apprensione: ma, come fu scritto nell'incipit del verbale, spontaneamente.

Cognome e nome, luogo e data di nascita, residenza, professione; e se aveva mai avuto a che fare con la giustizia.

«Nemmeno per una contravvenzione» disse l'uomo. Ma la dichiarata professione diede al commissario l'ineffabile gioia di cominciare duramente l'interrogatorio: rappresentante di case farmaceutiche.

«Lei possiede una Volvo?».

«Evidentemente».

«Non dica evidentemente, quando risponde a me... La sua Volvo è piuttosto costosa».

L'uomo annuì.

«Tra i medicinali che lei vende sono inclusi eroina, cocaina, oppio?».

«Senta,» – disse l'uomo raffrenando ira e

paura – «sono venuto qui, spontaneamente, solo per raccontarle quello che ho visto ieri pomeriggio».

«Racconti pure» disse con aria incredula il commissario.

«Sono salito alla stazione, per come il capotreno mi aveva pregato. Ho bussato ai vetri dell'ufficio del capostazione, mi ha aperto...».

«Chi?».

«Il capostazione, credo».

«Lei dunque non lo conosceva».

«No. Gli ho detto quel che il capotreno mi aveva detto di dirgli. Ho appena guardato dentro l'ufficio: c'erano altri due uomini, e stavano arrotolando un tappeto... Me ne sono andato».

«Ma per altra strada» disse il commissario «e poiché nessuno l'ha visto ridiscendere... E dunque: stavano arrotolando un tappeto».

«Il quadro» scappò di dire al brigadiere.

Il commissario lo fulminò di un'occhiata: «Ti ringrazio, ma ci sarei arrivato senza il tuo aiuto».

«Ma per carità,» disse il brigadiere «non mi permetterei...». E con ingenuità, con-

38

fuso, balbettante, aggiunse: «Lei è laureato».

La battuta, suonando ironica al commissario, lo fece del tutto inferocire: ma contro
l'uomo della Volvo. «Mi dispiace, ma debbo trattenerla qui: abbiamo da fare tanti
accertamenti».

Il brigadiere Antonio Lagandara era nato in un paese contadino tanto vicino alla città che ormai se ne poteva considerare parte. Il padre, bracciante che aveva saputo elevarsi al rango di potatore – esperto, ricercato –, era morto, strapiombando da un alto ciliegio che stava rimondando dai seccumi, che lui era all'ultimo anno di un corso di economia e commercio. Aveva preso il diploma ma, non sapendo che fare e non trovando, si era arruolato nella polizia; e ne era diventato, cinque anni dopo, sottufficiale. Il mestiere lo appassionava, e voleva perciò farvi carriera. Si era iscritto alla facoltà di legge, la frequentava quando e come poteva, studiava. La laurea in legge era la suprema ambizione della sua vita, il suo sogno: da candore dunque quella battuta che al commissario parve maligna. Ne era ancora risentito, quando il brigadiere tornò dall'avere accompagnato in camera di sicurezza l'uomo della Vol-

40

vo, le cui urla di protesta risuonavano o-
ra per tutta la questura. «Sono laureato,
eh?... Io non ho ancora capito se sei davvero uno sprovveduto o se fingi di esserlo...
Laureato! In un paese dove ormai sono
laureati gli uscieri, i camerieri e persino gli
spazzini».

«Mi scusi» – disse sinceramente ma scon-
trosamente il brigadiere.

«Lasciamo perdere... Io vado ora dal questore: tra un quarto d'ora accompagna da
lui l'uomo della Volvo».

Nell'ufficio del questore c'era il colonnello dei carabinieri, furono entrambi dal
commissario informati. Quando, col brigadiere, entrò l'uomo della Volvo, il questore subito: «Lei dunque, nell'ufficio del
capostazione, ha visto tre uomini che arro-
tolavano un tappeto. C'era dentro un cadavere?».

«Un cadavere? No di certo».

«Quanto era largo il tappeto?».

«Ma non so... Forse un metro e mezzo».

«Come fa ad affermare che era un tappeto?» domandò il colonnello.

«Non affermo niente: mi è parso un tappeto».

«Lo descriva».

41

«Stavano arrotolandolo, mi parve, a rovescio: tela grezza, ruvida...».

«Ma il rovescio di un tappeto non è così. È possibile stessero invece arrotolando un dipinto?».

«È possibile» disse l'uomo.

«Passiamo ad altro... Gli uomini, lei ha detto, erano tre».

«Sì, tre».

Il questore gli mostrò due fotografie: «Eccone due, li riconosce?».

Stavano cercando di armargli una trappola; l'uomo dentro di sé li maledisse. «Ma che riconoscere? Questi due credo di non averli mai visti in vita mia».

«Sa chi sono? Il capostazione e il manovale: proprio quelli che sono stati assassinati».

«Ma io non li ho visti!».

«Ma se ha detto di aver visto e parlato col capostazione!».

«Con uno che ho creduto fosse il capostazione».

«Mi dispiace,» disse il questore «ma sono costretto a trattenerla ancora qui».

Il malcapitato tornò ad urlare la sua protesta.

Questore e colonnello fecero col magistrato inquirente il punto delle loro indagini. Il magistrato assunse aria di greve pensamento e poi disse: «Sapete che cosa penso? Che casuale per quanto si voglia, l'uomo della Volvo entrò nell'ufficio del capostazione, vide quel dipinto, se ne invaghì a colpo di fulmine, fece fuori i due e se lo portò via».

Questore e colonnello si scambiarono perplesso e ironico sguardo. «È un personaggio, questo della Volvo, per cui mi è venuta una immediata affezione. Difficilmente sbaglio, nelle mie intuizioni. Tenetemelo bene al fresco». Li congedò, aveva da sentire il vecchio professore Franzò.

Uscendo il questore disse: «Dio mio!»; e il colonnello: «Terrificante!».

Il magistrato si era intanto alzato ad accogliere il suo vecchio professore. «Con quale piacere la rivedo, dopo tanti anni!».

«Tanti: e mi pesano» convenne il professore.

«Ma che dice? Lei non è mutato per nulla, nell'aspetto».

«Lei sì» disse il professore con la solita franchezza.

«Questo maledetto lavoro... Ma perché mi dà del lei?».

«Come allora» disse il professore.

«Ma ormai...».

«No».

«Ma si ricorda di me?».

«Certo che mi ricordo».

«Posso permettermi di farle una domanda?... Poi gliene farò altre, di altra natura... Nei componimenti d'italiano lei mi assegnava sempre un tre, perché copiavo. Ma una volta mi ha dato un cinque: perché?».

«Perché aveva copiato da un autore più intelligente».

Il magistrato scoppiò a ridere. «L'italiano: ero piuttosto debole in italiano. Ma, come vede, non è poi stato un gran guaio: sono qui, procuratore della Repubblica...».

«L'italiano non è l'italiano: è il ragionare» disse il professore. «Con meno italiano, lei sarebbe forse ancora più in alto».

La battuta era feroce. Il magistrato impallidì. E passò a un duro interrogatorio.

44

Il figlio della vittima da Edimburgo, la moglie da Stoccarda, arrivarono lo stesso giorno. Fu, tra madre e figlio, e anche per gli investigatori che erano presenti, un incontro molto spiacevole. La moglie, evidentemente, era venuta per arraffare del patrimonio quel che poteva; il figlio per impedirglielo, ma soprattutto per sapere come e perché suo padre era stato ucciso, e da chi.

L'incontro avvenne nell'ufficio del questore. Non si salutarono, il saluto del figlio fu un secco: «Puoi tornartene a Stoccarda, non c'è nulla per te».

«Questo lo dici tu».

«Non lo dico io, lo dicono le carte che mio padre ha fatto registrare qualche anno fa».

«Non sono sicura che quelle carte valgano, che non siano impugnabili... Mettiamoci d'accordo, vendiamo tutto e andiamocene».

«Non vendo: io forse resto qui. Ci sono venuto, e sono stato a lungo, molti anni fa: c'erano ancora i miei nonni. Ne ho un ricordo bellissimo... Sì, forse ci resto... Con mio padre spesso pensavamo di tornare, di far vita qui».

«Con tuo padre!» disse sarcasticamente la donna.

«Vuoi dire che non era mio padre?... Guarda: le madri non si possono scegliere, che io di certo non ti avrei scelto... D'altra parte, tu sicuramente non mi avresti scelto come figlio... Ma i padri si scelgono: e io ho scelto Giorgio, l'ho amato, piango la sua morte. Era mio padre. Tu attribuisci troppa importanza al fatto di essere andata a letto con un altro; o con altri».

La mano laccata e inanellata della madre lampeggiò sulla guancia del figlio. Il ragazzo le voltò le spalle mettendosi a guardare lo scaffale dei libri come se davvero lo interessassero. Stava piangendo.

Il questore disse: «Questi sono affari vostri. Io voglio sapere, da lei, signora, se ha qualche ragione o sospetto riguardo all'uccisione di suo marito».

La signora scrollò le spalle. «Era siciliano,» disse «e i siciliani, ormai da anni, chi sa perché, si ammazzano tra loro».

«Giudizio indefettibile» disse ironicamente il figlio tornando a sedere davanti alla scrivania del questore.

«E lei che cosa pensa, che cosa sa?» gli domandò il questore.

«Sulle ragioni per cui è stato ucciso, nulla; spero anzi, presto o tardi, di apprenderle da lei... Per il resto...». Raccontò della decisione del padre di tornare per ritrovare le lettere di Garibaldi e di Pirandello, del suo rammarico di non aver potuto accompagnarlo, della telefonata con cui il padre gli assicurava di aver viaggiato benissimo. Nient'altro.

«Mi dica qualcosa sulle vostre proprietà qui. Erano proprio abbandonate?».

«Sì e no. Ogni tanto mio padre scriveva a un tale, credo un prete, per sapere dello stato di mantenimento».

«Ma il prete era incaricato del mantenimento?».

«Non precisamente, credo».

«Suo padre gli mandava del denaro?».

«Non mi pare».

«Rispondeva alle lettere di suo padre?».

«Sì, diceva sempre che tutto, nonostante l'abbandono, si manteneva bene».

«Aveva, il prete, le chiavi della casa di città e del villino?».

47

«Non lo so».

«Ne ricorda il nome?».

«Cricco, mi pare... Padre Cricco. Ma non sono certo».

Padre Cricco – bell'uomo, alto e solenne nella veste talare – affermò che mai aveva avuto le chiavi: guardava da fuori la casa di città e il villino: e le sue notizie si limitavano ad assicurare che erano ancora all'impiedi, senza crepe vistose e senza irreparabili erosioni.

Interrogava il commissario – riguardoso, complimentoso – e il brigadiere verbalizzava. Cominciò: «Lei è tra i pochi preti che ancora vestono da preti. È un fatto, non so bene perché, che mi rincuora».

«Sono un prete all'antica; e lei è un cattolico all'antica. Buon per noi, io presuntuosamente dico».

«Da prete, da uomo intelligente, da amico del morto, che cosa pensa di questo caso?».

«Nonostante tutto il romanzo che vi si va costruendo intorno, confesso che non riesco a togliermi dalla testa l'ipotesi del suicidio. Giorgio non era un cuor contento».

«Già: quella moglie, quel figlio che non era suo figlio...».

«Ma pare che la polizia scientifica...».

«Sì, ha trovato sulla pistola più di un'impronta del morto; ma proprio nei punti dove avrebbe dovuto impugnarla per spararsi, sono come cancellate, quasi fosse stata impugnata da una mano guantata... Ma io, con tutto il rispetto per la polizia scientifica, a questo responso mi affido poco».

Il brigadiere, che il vizio d'intervenire non lo perdeva, disse: «Anch'io mi ci affido poco e quasi niente. Ma è impossibile immaginare che un uomo, dopo aver maneggiato una pistola, al momento di suicidarsi si metta il guanto, si spari e abbia poi il tempo di ritogliersi il guanto e di farlo sparire. Roba da hellzapoppin».

«Ti diverti, eh... Continua a divertirti, continua» disse acre il commissario.

Le autorità poliziesche e giudiziarie decisero, accompagnandovi moglie e figlio, ed anche il professor Franzò, di fare altra perquisizione nel villino. Vi andarono il commissario, il brigadiere, un nugolo di agenti. Padre Cricco declinò l'invito ad andare: lo emozionava troppo e la sua presenza sarebbe stata del tutto inutile.

A prendere il professore da casa, andò il brigadiere. Fecero il breve viaggio loro due soli, con grande contentezza da parte del brigadiere cui il parlare con persone che avevano fama di intelligenza e cultura dava una specie di ebrezza. Ma il professore parlò dei propri mali, lasciando memorabile al brigadiere (ma non condivisibile nell'energia dei suoi trent'anni) la frase che ad un certo punto della vita non è la speranza l'ultima a morire, ma il morire è l'ultima speranza.

Il professore conosceva il luogo, molte ore della sua infanzia e giovinezza vi aveva passato col suo amico. Appena entrati nel recinto, indicando i magazzini, disse: erano le stalle, una volta. Ma il brigadiere ebbe la sorpresa di vederne le porte spalancate, i catenacci scomparsi. Pensò fossero stati i carabinieri, ne parlò al commissario, telefonarono poi, entrati in casa, ai carabinieri. Non erano stati loro, non ne sapevano nulla.

Nervosamente, il brigadiere ispezionò uno per uno i magazzini. Vi stingeva un odore di zucchero bruciato, di foglie di eucalipto macerate, di alcool: qualcosa di indefinibile, insomma. Disse al commissario: «Lo sente, quest'odore?».

«Non sento nulla, sono raffreddatissimo».

«Si dovrebbe far venire qualche esperto, qualche chimico; e i cani della guardia di finanza».

«Il miglior cane sei tu» disse il commissario. «Comunque, faremo venire esperti e cani».

Davanti alla porta del villino, gli altri aspettavano. Le chiavi le aveva il commissario, le diede al brigadiere dicendo: «Apri e fai da guida: io è la prima volta che ci vengo».

Sciamarono tutti dentro, gli agenti con un

furore quasi si trattasse di sorprendervi un ladro, il ragazzo guardandosi intorno con occhi lucidi di emozione, la donna freddissima, come annoiata.

Al pianterreno non c'era, per gli agenti, nulla che non fosse già stato visto. Salirono al primo piano, entrarono in cucina. La porticina verso il solaio era tenebrosamente aperta. Vi si fermarono; poi il commissario si fece avanti, salì agile e sicuro la scaletta di legno: e arrivato lassù inondò di luce il solaio. E gli altri appresso.

Il brigadiere, muovendosi con cautela tra tutta quella roba accatastata, girava e rigirava lo sguardo sui muri.

«Che cosa cerchi?» domandò il commissario.

«L'interruttore».

«Ah, già: tu non sei mai riuscito a trovarlo. Ma non è difficile: è dietro il busto di sant'Ignazio».

«Ma non si vede» disse il brigadiere.

«Intuito» disse il commissario. E scherzò: «Non dirmi che l'ho trovato perché sono laureato». Ma gli occhi gli si erano invetrati come di terrore.

«Non glielo dirò» disse il brigadiere: cupamente.

Sulla cassapanca c'era, non coperto dello spesso strato di polvere che copriva tutto, netto il segno che qualcosa vi era stata posata per lungo tempo. Il dipinto arrotolato, pensò il brigadiere: e lo disse. Il povero Roccella lo aveva perciò visto prima ancora di aprire la cassapanca e cercare le lettere: che stavano lì, impacchettate: quelle di Garibaldi, quelle di Pirandello. Il professore, in anni lontani, le aveva anche viste. Sfogliò quelle di Pirandello, si soffermò su qualche frase. A diciotto anni, Pirandello pensava quel che avrebbe scritto fin oltre i sessanta.

Nel viaggio di ritorno il professore disse al brigadiere: «Queste lettere di Pirandello mi piacerebbe leggermele bene».

«Non credo sarà difficile ottenere che gliele affidino». Ma pensava ad altro: cupo, inquieto, nervoso; si sentiva che aveva bisogno di confidarsi, di sfogarsi. Ad un certo punto fermò la macchina e cominciò nervosamente a piangere. «Stiamo assieme da tre anni, nello stesso ufficio».

«Capisco» disse il professore. «L'interruttore?».

«L'interruttore... Aveva detto di non essere mai stato in quella casa: l'ha sentito anche lei... Io avevo consumato un'intera scatola di fiammiferi, cercando quell'interruttore; gli altri erano poi venuti a cercarlo con lampadine tascabili... E lui invece l'ha trovato subito, a colpo sicuro».

«Incredibile errore, da parte sua» disse il professore.

«Ma come ha potuto farlo, che cosa gli è accaduto in quel momento?».

«Forse un fenomeno di improvviso sdoppiamento: in quel momento è diventato il poliziotto che dava la caccia a se stesso». Ed enigmaticamente, come parlando tra sé, aggiunse: «Pirandello».

«Voglio raccontarle tutto quello che, partendo ora dall'interruttore, sto mettendo aritmeticamente insieme».

«Aritmeticamente...» sorrise il professore. «Ma vi sciolga sempre qualche dubbio».

«Perciò le chiedo di aiutarmi».

«Per quello che posso... Ma salga a casa mia: staremo più tranquilli».

Parlarono per ore, arrivando alla conclusione che, da parte di quei delinquenti, il dipinto era stato un diletto incauto, un'attività marginale, quasi un capriccio. Ben altro si faceva in quel luogo: e perciò il povero Roccella, arrivando di sorpresa, era stato assassinato.

Sulla porta, al momento di salutarlo, il professore domandò: «Lei ha intenzione...?».

«Non lo so,» disse il brigadiere «non lo so»: smarrito, stravolto.

L'indomani il commissario arrivò in ufficio alla solita ora, ostentando il solito buonumore fino all'euforia. Si tolse il cappello, i guanti, il cappotto, la vivace ma elegante sciarpa; infilò i guanti nella tasca del cappotto, appese il tutto nell'armadio. I guanti. Mentre il commissario rabbrividiva per il freddo dell'ufficio, come ogni mattina dicendo che gli uccelli vi sarebbero caduti morti, il brigadiere, già al proprio tavolo, rabbrividiva di altro brivido. I guanti, ecco, i guanti.

«Già al lavoro» disse il commissario a modo di saluto.

«Ma che lavoro, sto scorrendo i giornali».

«E che c'è di buono?».

«Di buono nulla, come al solito».

Era tra loro, sotto quello scambio di frasi usuali e banali, un disagio, una freddezza, un che di preoccupato e di impaurito.

L'interruttore. Il guanto. Il brigadiere

nulla sapeva, né l'avrebbe apprezzata, di una famosa serie di incisioni di Max Klinger appunto intitolata *Un guanto*, ma nella sua mente il guanto del commissario trascorreva, trasvolava, si impennava come allora nella fantasia di Max Klinger.

Le loro scrivanie erano disposte ad angolo. Ciascuno seduto davanti alla propria, il commissario fingeva di essere immerso nella lettura delle carte che aveva davanti, il brigadiere nella lettura dei giornali.

Il brigadiere fu più volte sul punto di alzarsi e di andare dal questore a riferire tutto: ma lo tratteneva il pensiero che al questore sarebbe apparso inconsistente, tutto quel che aveva da raccontare. Il commissario – il brigadiere se ne accorse improvvisamente – aveva altro e più immediatamente micidiale pensiero.

Ad un certo punto il commissario si alzò, andò ad un armadietto, ne trasse una bottiglietta di olio lubrificante, una pezzuola di lana, uno scovolino. Disse: «È da anni che non do una ripulita a questa pistola». La tirò fuori dalla custodia che portava attaccata alla cintura, la posò sul tavolo. Poi l'aprì, ne fece cadere le cartucce sul tavolo.

Il brigadiere capì. Sul giornale che aveva

davanti e che fingeva di leggere, le parole si agglomerarono, si fusero, si sciolsero nel titolo che il commissario credeva di poter leggere nei giornali dell'indomani: *Commissario di polizia uccide per errore un suo subalterno.*

Disse: «Io pulisco sempre la mia... Ma lei è un buon tiratore?».

«Eccellente» disse il commissario.

E il brigadiere, ad avvertimento e a scarico di coscienza: «Badi che colpire il centro di un bersaglio non basta per essere considerati buoni tiratori. Ci vuole destrezza, rapidità...».

«Lo so». Eh no, pensò il brigadiere, non lo sai: o perlomeno non lo sai come lo so io.

La sua pistola la posava ogni mattina nel cassetto alto, a destra, della scrivania. Lo aprì lentamente, silenziosamente con la destra mentre con la sinistra si teneva davanti il giornale. Le sue mani erano diventate più agili e come moltiplicate, tutti i suoi sensi più acuti. Vibrava tutto in lui, come di una corda metallica sottile e tesa. L'atavico istinto contadino a diffidare, a vigilare, a sospettare, a prevedere il peggio e a riconoscerlo gli si era risvegliato fino al parossismo.

Il commissario finì di pulire la pistola, la ricaricò, l'impugnò fingendo mira alla lampada, a un calendario, al pomo di una porta; ma al momento in cui con improvvisa rapidità la puntò sul brigadiere e sparò, questi si era già gettato a terra con tutta la sedia, aveva scoperto dal giornale che teneva con la sinistra la pistola che aveva tirato dal cassetto, sparato un colpo dritto al cuore del commissario, che crollò sulle carte che aveva davanti copiosamente insanguinandole.

«Era un buon tiratore,» disse il brigadiere guardando il foro del proiettile dietro la sua scrivania «ma io lo avevo avvertito»: quasi avesse vinto in una gara. Ma subito dopo cominciò a piangere e a battere i denti.

«Riassumiamo» disse il questore. «Riassumiamo e decidiamo... Decida, cioè, il signor procuratore: tra poco avremo i giornalisti alla porta».

Nell'ufficio del procuratore. C'era anche il colonnello dei carabinieri e davanti a loro, come un imputato davanti alla Corte d'Assise, il brigadiere.

«Riassumiamo, dunque... Secondo il racconto del brigadiere, non privo di elementi probanti, di indizi che io, confesso, ho commesso l'errore di non considerare come dovevo, i fatti sono quelli che brevemente esporrò. La sera del 18 arriva in questura la telefonata del signor Roccella: chiede che qualcuno vada da lui a vedere una certa cosa. Risponde il brigadiere che qualcuno, al più presto possibile, andrà. Comunica il contenuto della telefonata al commissario, si offre di andare: ma il commissario dice di non credere al ritorno, dopo tanti anni, del signor Roccella; ritie-

61

ne si tratti di uno scherzo. Dice al brigadiere di fare una puntatina a quel luogo l'indomani, se ne va dicendo che per tutta la giornata dell'indomani, festa di San Giuseppe, sarebbe stato introvabile: e lo fu davvero... È facile sospettare che abbia avvisato dei complici dell'imprevedibile ritorno del signor Roccella; e ancora più facile che ci sia andato di persona, si sia fatto aprire in quanto commissario di polizia, si sia seduto accanto a lui allo scrittoio dove il Roccella aveva cominciato a scrivere del quadro che aveva trovato; e al momento giusto, presa quella pistola che insperatamente si trovava sul tavolo, l'abbia impugnata con mano guantata sparandogli alla testa. Aveva poi messo un punto alla frase "ho trovato"; e se ne era andato chiudendosi dietro la porta, che aveva una serratura a scatto... Debbo dire, in autocritica, che quel punto dopo "ho trovato", che il brigadiere mi fece notare come incongruente, non mi fece allora impressione. Pensai che il Roccella fosse impazzito, che era arrivato a trovare nel suicidio una soluzione e che avesse vagheggiato di suicidarsi sotto gli occhi della polizia... Ma l'indomani il morto sarebbe stato certamente scoperto: e da ciò la necessità dello sgombero. Nella notte, tutta la banda fu chiamata a raccolta: quadro e altri strumenti di lavoro clandestino furono trasferiti».

«Dove?» domandò il magistrato.

«Secondo il brigadiere, e anche secondo me, alla stazione di Monterosso, dove capostazione e manovale erano già della congrega, anche se marginalmente, a livello di diffusori, di spacciatori... Indubbiamente, a vedersi arrivare tutta quella roba voluminosa e compromettente, capostazione e manovale si spaventarono. Protestarono, forse minacciarono: e furono uccisi. Erano già stati uccisi quando alla stazione arrivò l'uomo della Volvo; e perciò la loro fuga precipitosa... L'uomo della Volvo non vide il capostazione e il manovale: vide i loro assassini... Questo lo abbiamo accertato facendogli vedere le fotografie del capostazione e del manovale: mai visti... Poi c'è stato l'episodio dell'interruttore: che non impressionò soltanto il brigadiere».

«Che cretino!» disse il magistrato: ad elogio funebre del commissario. E poi: «Ma caro questore, ma caro colonnello, questo è troppo poco... Se provassimo a ribaltare questa storia nella considerazione che il brigadiere mente e che è lui il protagonista dei fatti di cui accusa il commissario?».

Il questore e il colonnello si scambiarono con lo sguardo quel «Dio mio!» e quel «Terrificante!» che giorni prima si erano scambiati a voce.

«Non è possibile» dissero tutti e due. Poi il questore invitò il brigadiere ad uscire: «Aspetta in anticamera, ti chiameremo tra cinque minuti».

Lo richiamarono più di un'ora dopo.

«Incidente» disse il magistrato.

«Incidente» disse il questore.

«Incidente» disse il colonnello.

E perciò sui giornali: *Brigadiere uccide incidentalmente, mentre pulisce la pistola, il commissario capo della polizia giudiziaria.*

Mentre in questura ferveva l'allestimento della camera ardente per il commissario (solenni sarebbero stati i funerali), l'uomo della Volvo, tirato fuori dal carcere, vi fu portato per gli adempimenti burocratici per cui sarebbe stato, finalmente, completamente libero.

Assolti quegli adempimenti, ne stava uscendo scarmigliato e angosciosamente ilare, quando sulla soglia incontrò padre Cricco in nicchio, cotta e stola, che veniva a benedire la salma.

Padre Cricco lo fermò di un gesto. Disse: «Mi pare di conoscerla: lei è della mia parrocchia?».

«Ma che parrocchia? Io non ho parrocchia» disse l'uomo; e uscì con gioiosa furia.

Trovò al posteggio, con cedola di contravvenzione, la sua Volvo. Ma gli parve una cosa da riderne, tanto era contento.

Uscì dalla città cantando. Ma ad un certo punto fermò di colpo la macchina, tornò ad incupirsi, ad angosciarsi. «Quel prete,» si disse «quel prete... L'avrei riconosciuto subito, se non fosse stato vestito da prete: era il capostazione, quello che avevo creduto fosse il capostazione».

Pensò di tornare indietro, alla questura. Ma un momento dopo: «E che, vado di nuovo a cacciarmi in un guaio, e più grosso ancora?».

Riprese cantando la strada verso casa.

Stampato nel gennaio 2011
dal Consorzio Artigiano «L.V.G.» - Azzate

PICCOLA BIBLIOTECA ADELPHI

Piccola Biblioteca Adelphi
Periodico mensile: N. 238/1989
Registr. Trib. di Milano N. 180 per l'anno 1973
Direttore responsabile: Roberto Calasso